마음 아프지만 달려가는 중입니다

마음 아프지만 달려가는 중입니다

발　행 | 2024년 08월 12일
저　자 | 라비앙로즈
펴낸이 | 한건희
펴낸곳 | 주식회사 부크크
출판사등록 | 2014.07.15.(제2014-16호)
주　소 | 서울특별시 금천구 가산디지털1로 119 SK트윈타워 A동 305호
전　화 | 1670-8316
이메일 | info@bookk.co.kr

ISBN | 979-11-419-0046-5

마음 아프지만 달려가는 중입니다

라비앙로즈 지음

목차

머리말

이 책은 제 인생 여정 속에서

양극성 장애가 저에게 어떤 영향을 끼쳤는지 깊이 탐구하고 담아낸 작품입니다.

양극성 장애는 생각과 감정이 예측할 수 없이 변화하는 파도와 같습니다.

가끔은 그 파도 위에서 눈부신 창의성과 열정의 물결을 타고 올라가는 듯한 느낌을 받지만,

때로는 그 안에서 깊은 어둠과 적막이 저에게 다가오기도 합니다.

이 책은 양극성 장애로 인한 감정의 기복과 그로 인해 얻은 깊은 통찰을 이야기합니다.

내면의 폭풍과 조용한 안정의 물결 사이에서 제 정체성을 찾아가는 여정을 공유하고자 합니다.

이 책은 단순히 개인적인 이야기가 아니라,

양극성 장애를 가진 사람들에게 공감과 이해를 불러일으킬 수 있는 소중한 공간이 될 것입니다.

이 책을 통해 독자 여러분께서도 내면의 갈등과 조화를 탐험하며,

인생의 다양한 면모를 깊이 이해하고 공감할 수 있기를 바랍니다.

우리의 감정과 생각은 예측할 수 없는 파도 속에서 얽히고설키지만,

그 속에서도 존재하는 의미와 아름다움을 발견할 수 있음을

이 책을 통해 알게 될 것입니다.

함께 나아가는 여정에서

우리 모두에게 희망과 용기를 안겨줄 수 있는 이야기가 되기를 진심으로 바랍니다.

마음 아프지만 달려가는 중입니다

화해의 데이트

7월의 시작 오늘은 장마 기간 중 비가 안 오는 날이었다.

일기예보를 볼 때부터 밖에 나갈 때 우산 없이 가볍게 나갈 수 있다는 생각에 덜 짜증이 났다.

비가 오면 보통 밖을 나갈 때부터 심한 짜증이 올라오는데 오늘은 가벼운 마음으로 나갈 수 있었다.

저녁 식사 장소까지 걸어가기로 했는데,

가는 길이 너무 더워서 매점에 들려서 음료수를 마셨다.

여기서 술만 마셔봤지, 음료수는 처음이었는데

더운 날씨 속에서 조금이나마 시원함을 느낄 수 있었다.

평소 걷는 걸 좋아하는 나는 맑은 하늘을 보며 사진도 찍고 걷기 좋은 날을 만끽할 수 있었다.

좋아하는 음식 중 하나인 초밥 맛집에서 초밥도 먹고 오랜만에 후식으로 롯데리아 빙수까지 먹었다.

옛날 생각이 떠올랐다.

잠시나마 행복했었던 가족들과의 기억이 날 만큼 오늘 하루 즐거웠다는 것으로 받아들이기로 했다.

그리고 화해의 데이트는 성공적이었다.

날씨도 좋고 내 기분도 너무 좋았다.

나는 아직 방황하는 중

나는 지금도 방황하고 있다.

남들과의 비교를 안 해야 내 건강에 좋다는 걸 알면서도

눈에 보이는 건 어쩔 수 없나 보다.

마음 아프지만 난 모든 면이 느렸다. 지금도 느리다.

그래서 지금도 방황하는가 보다.

남들이 보기에는 여유로워 보이겠지만

내가 느끼기에는 하루가 갈수록 의미 없는 하루를 보내고

시간만 보냈다고 생각한다.

그리고 또 1년이 지나면 아무것도 이룬 것 없이 나이만 먹었다.

그래서 나는 슬프다.

작은 것부터 실천해보자

나와의 약속한 것 중에 큰 두 가지를 지켜내고 있는지 5달이 됐다.

처음엔 절대 이루지 못할 것 같았는데,

건강을 위해서 매일 청소하고 매일 먼지를 닦아 내듯

내 하루 일과에 한 가지는 빼고 한 가지는 더했다.

매일 눈에 보이는 변화가 아니었는데

5달이 지난 지금 큰 변화로 다가왔다.

항상 삶의 의미를 못 찾고 아파만 했던 나였다.

지금은 두 가지 약속을 더 지키기 위해

의욕적으로 열심히 실천하고

더 달라진 모습을 위해 목표가 생겼다.

나의 인생도 작은 것을 실천하다 보면

나중에는 웃을 날이 왔으면 좋겠다.

과거의 나 현재의 나

현재의 내 모습을 보면 날 여전히 사랑하지 못하고 만족하지 못하는 모습은 과거와 똑같다.

달라진 것은 과거에는 나를 내가 돌봐주지 못했다.

그래서 파괴적인 행동을 했다.

그때에는 그 행동이 내가 살아있는 이유라고 생각해서 집착하고 빠지게 되었다.

하지만 심한 후회와 죄책감에 너무나 힘들어하는 것을 거의 매일 반복했었고

마음은 더 지쳐가고 땅바닥으로 내려가는 듯했다.

모든 것을 포기하고 싶어질 때가 매일 이었다.

어느 순간 갑자기 새사람이 태어난 듯 내가 바뀌긴 했다.

파괴적인 행동을 하지 않고

그 행동이 나를 내가 학대했음을 알게 되고

좋은 것만 생각하고 보려고 노력하고 있다.

지금, 이 순간의 나도 과거형으로 될 때 미래와 비교했을 때

좋은 점만 가득했으면 한다.

남이 부럽지만, 지금의 내 삶에 집중을

지금 나의 삶이 단조롭고 단순해서 부귀영화를 누리지 못하지만,

들려오는 남들의 소식에 부럽고

지금 나는 뭘 위해서 이렇게 사는지,

너무 바보처럼 느껴질 때가 많다.

그렇지만 지금 나에게 있어 중요한 것은, 내 삶에, 집중이다.

매일 경제적 활동을 하는 것은 아니지만

나는 달려가고 있다고 생각한다. 나를 위해서,

진정한 나의 마음의 건강을 위해서

오래된 마음의 상처

오래된 마음의 상처가 있다.

너무 크고 어렸을 때 일이다.

사과받지 못했다. 마음이 아프다.

그 아픔이 내가 성인이 된 이후에 이렇게 크게 마음이 아프게 될 줄 몰랐다.

이렇게 될 줄 알았다면 그때 아프다고 말하거나 적극적으로 도와주라고 말을 할걸,

후회를 한때가 한두 번이 아니다.

그때를 생각하면 찾아가서 복수하고 싶을 정도로 화가 많이 나지만 내 인생을 위해 참는다.

자기 잘못도 모르고 자기가 이 세상에서 최고로 잘나고 노력하고 힘겹게 살아온 줄 알고

그때의 일도 다 잘 키워보려고 했다고 생각하는 사람에게

복수를 해봤자 내 인생이 아깝다.

하늘은 알고 있을 것이다.

누가 잘못됐고 누가 진짜 치료가 시급한 사람인지

명절은 외롭다.

우리나라 명절은 두 번이 있다.

설, 추석 보통의 평범한 사람들은 가족을 보러 이동하고,

모두 모여서 밥을 먹고 차례를 지내고 가족의 정을 쌓는다.

두 번의 명절날 나는 갈 곳이 없는 사람이다.

요즘은 정상영업 하는 가게 들이 많아서 밖을 나가서 밥을 먹거나 하는데

동네 골목부터 차들도 많고 가족들이 와서 북적거리는 소리와 명절 음식 냄새가 지나가는 나에게도 느껴진다.

그럴 때 정말 공허하고 외롭다.

명절이 싫은 사람들은 나같이 갈 곳 없는 자유 영혼이 부럽기도 하겠지만

나의 입장이 되어보면 너무 외로워서 싫은 날이다.

술은 멀리하고 카페를 가까이

언제부턴지 술을 멀리하게 되었다.

약물 치료를, 받는 나에게 술이란 하루 약을 못 먹게 되는 존재이다.

약을 못 먹으면 나에게는 너무나 큰 손해와 하루 동안 불편감이

심하다.

처음에 치료할 때는 술을 자주 먹었다.

술이 더 기분이 좋고 마시는 동안 내 모습이 좋았다.

아주 오래전에는 술을 의존했던 적이 있었다.

그렇게 술과의 문제가 있었기 때문에 언제부턴지 멀리하게 되었고

술 마시자는 말을 하는 사람에게 거절하기가 항상 어렵지만

거절한다.

취하지도 않고 맛있고 속도 편한 카페에서 얼굴 보자고 한다.

사회공포증

나는 사회공포증이 있다.

사람도 무서워하지만 타고난 성격이 밝고 말을 잘해서 아무도 모른다.

나의 사회공포증은 중학생 때 심했다가 고등학교 때 친구들을 많이 사귀면서 지금의 밝은 성격이 되었다.

성인이 되어서 사회생활에서 부정적 경험을 마주하게 돼서

직장에 들어가는 일이 가장 어려운 일이 되었다.

나에게 심한 상처가 되는 말을 들어서

새로운 직장에 들어가는 내 모습을 상상해도

과거의 경험들이 떠오르고 반복되어서

다시 제자리로 올 것 같아서 직장생활을 못 하고 있다.

채용사이트를 매일 보아도 마음만 답답할 뿐 도전할 용기가 생기지 않고

그냥 매일 나의 삶을 살아가는 중이다.

노래를 부를 때 행복해

어렸을 때부터 노래 듣기, 부르기를 좋아했다.

초등학교 때부터는 친구들과 노래방도 자주 다녔다.

중학교 때는 코인노래방을 날마다 다녔는데 노래를 부르면서 노래 속 감정을 느끼는 것이 좋았고,

그때는 가수가 되고 싶었다.

고등학교 때부터는 만원에 문 닫을 때까지 시간을 주는 노래방을 자주 다녔고 노래 실력도 많이 올라가게 됐다.

대학생이 되어서도 코인노래방을 자주 다녔고

그래서 노래를 불러보라고 하거나 노래방을 단체로 갈 일이 생겼을 때 자신감 있게 부를 수 있었다.

대학 졸업 이후에도 노래는 나에게 위로가 됐다.

혼자서 코인노래방에 새벽에 가거나 오후에 가거나 가고 싶을 때 맘껏 가게 됐다.

그렇게 살면서 인터넷에서 노래를 불러서 올리는 것을 했는데 잠시 목소리로 유명해지기도 했었다.

노래 이벤트를 참여하면 상품권 정도는 받을 수 있는 실력이라고 당당하게 말할 수 있다.

지금은 메타버스 게임에서 사람들과 매일 노래하고 있다.

다른 사람의 노래를 듣는 것도 좋고,

내가 부르는 것도 행복하다.

나의 장점이라고 당당하게 말할 수 있고

나이 먹어서도 노래 부를 것 같다.

노래 부르는 순간은 행복하니까

히키코모리일까 아닐까?

보통 히키코모리라고 하면 집이나 방에만 있는 것을 뜻하는데, 나는 가끔 내가 히키코모리라고 생각이 든다.

하루에 하는 일이 운동하러 나가고 밥을 사 먹고 집에서 집안일을 하고 게임을 하는 일이 전부이기 때문이다.

방에만 있진 않지만, 일정한 곳만 돌아다니고,

게임에서 만나는 사람이 더 많기 때문이다.

우연한 인연과 만남

몇 달 전 공원에서 앉아있다가,

모르는 아저씨가 토스 앱을 빨리 열어보라고 했다.

나는 그날 앱테크 하는 사람들 속에 있었던 것이었다.

그렇게 나도 앱테크의 맛을 알게 되어

그날부터 계속 나가게 되었는데

매일 같은 시간 같은 공원에서 만나다 보니 서로 친해지게 되었다.

나는 가장 젊은 나이에 속했는데, 어른 분들께서 잘 챙겨주셨다. 그리고

서로 살아가는 이야기나 지금 상황에 대해서도 말하게 되고,

1인 가구로 살아가는 나에게 매일 보고 싶은 사람들이 된 것이다.

앱테크는 한 달에 커피 한잔 마실 돈이 모였고 귀찮을 수도 있지

만 매일 달성해야 얻을 수 있는 목표를 생기게 해줬다.

여행

여행은 항상 떠나고 싶지만,

밖에서는 잠들지 못하는 습관 때문에 못 떠난다.

언제쯤 걱정 없이 떠날 수 있을까 같이 갈 사람도 있었으면 좋겠다.

매일 같은 길을 걸으면

매일 같은 길을 걸으면 얼굴은 매일 보는데

이름 모르는 사람들이 생기고

같은 장소에 항상 나타나는 길고양이

가끔 둥지에서 떨어진 새,

울창한 나무와 새 울음소리

매일 같은 길을 걷지만 다른 느낌을 받는다.

매일 무엇을 먹을까?

집에서 요리하는 것이,

더 비싼 요즘 매일 나가서 무엇을 먹을까 고민한다.

선택지는 별로 없어 보이지만,

날마다 다른 입맛 맛있는 것을 먹어야지, 기분이 좋아진다.

선택하기 힘든 날은 분식집이 최고다.

후식으로는 오늘은 어디 카페를 갈지 고민한다.

음료도 날씨와 기분에 따라서 달라진다.

헬스장은 힘들지만 즐거워

헬스장은 힘들지만 즐겁다.

주 6일 일요일은 휴무다.

6일 동안 2시간 정도 유산소 운동과 근력운동을 한다.

체중이 줄어드는 것이 즐겁고 눈으로 보이는 내 몸이 건강해지는

것이, 너무 뿌듯하다.

힘들지만 헬스장에서만 느낄 수 있는 즐거움이 확실히 있다.

준비 없는 이별

준비 없는 이별은 참 힘든 것 같다.

길지도 짧지도 않은 시간이 흘렀음에도 많은 생각이 든다.

가끔은 너무 보고 싶다.

다시 시간을 돌린다면 아프지 않았으면 좋겠다.

지금은 다른 세상에서 행복만 가득하길 바랄 뿐 이다.

몸무게

늘었다 줄어들었다 줄어들 땐 기분 좋고

늘었을 땐 기분 별로다.

Max:180kg   d=100g (가정용)

CAS

이상한 욕심

생필품에 대한 욕심이 많다.

생수, 샴푸, 섬유유연제, 세탁세제, 치약, 칫솔, 등등 모자라면,

안 된다는 강박도 있어서 여유분을 사다 놓는다.

구매할 때 가격과 용량 체크는 필수

한의원

근육통으로 한의원을 자주 방문한다.

한의원 특유의 분위기가 마음을 편하게 해준다.

한약 냄새도 좋고,

물리치료부터 시작하여 부항, 침, 고주파 치료까지 루틴도 있다.

한의원에 오면 마음도 치료받는 것 같다.

로또

안 될 걸 알면서도

또 속아 넘어간다.

배달 음식

배달앱의 강한 유혹이 날 무너뜨리게 하지만 만족했던 적이 별로 없다.

어쩔 수 없을 때는 아쉬워서 시킨다.

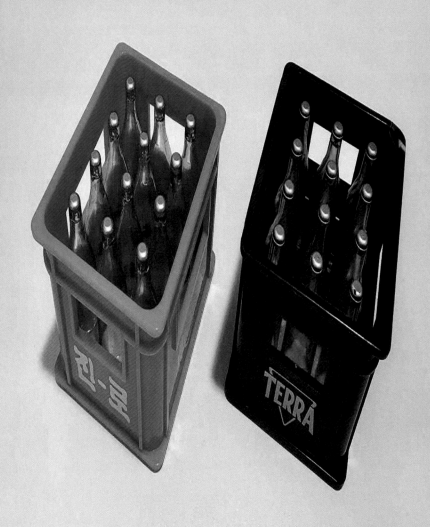

옛날에 살던 동네

가끔 옛날에 살던 동네에 걸어갈 때가 있다.

걸으면서 추억한다. 많이 지나다니던 길,

전에 살았던 집, 자주 다니던 식자재 마트,

그때의 기억을 추억한다.

그때의 감정이 다시 느껴진다.

한 가지에 꽂히는 스타일

음식, 물건에 한 가지에 꽂히는 경향이 강하다.

예를 들어 짬뽕을 먹고 너무 맛있었다고 느꼈다면 짬뽕을 먹는다.

1주일 정도,

물건은 내가 써본 것 중에 맘에 들었거나 아니면 색깔과

취향이 맞아서 한 가지로 꾸민다.

여름

습하고, 덥고, 땀나고 힘들지만,

옷도 가볍고 춥지 않고 여름의 향기와 여름이 주는 힘이 있다.

아침이 빨리 찾아오고 저녁이 늦게 오기 때문에,

4계절 중 가장 힘찬 계절이다.

하루를 늦게 시작하는 편

밤에는 초롱초롱하게 깨어있고 힘이 난다.

밤에 주로 할 일을 많이 하는 편이고,

집중도 잘 된다.

오전 시간은 늦게 잔 만큼 주로 잠을 자는데

오전 시간에는 아무리 일찍 일어나려고 해도 숨이 차고 힘이 없다.

그래서 하루를 늦게 시작하고 늦게 마무리한다.

게임 속 세상

게임 속 세상 아바타는 예쁘고 춥지도 덥지도 않고,

밥도 안 먹어도 되고,

돈 걱정 없이 살아서 좋겠다.

사람들이 좋은 말만 해주고 친구도 많아서 좋겠다.

BAR 라비앙로즈의 추억

퍼피레드 M이라는 지금은 사라진 게임을 했었다.

메타버스 게임이었다.

난 거기서 내 파크 라는 집 같은 곳에서

BAR 라비앙로즈를 만들었고 인기 파크 6위까지 올라갈 수 있었다.

게임이지만 많은, 사람들의 사랑을 받았고

BAR 라비앙로즈는 사랑방 같은 느낌으로 사람들이 찾아주었다.

게임은 사라졌지만 거기서 만난 소중한 인연들과 연락을 주고받는다.

한순간에 사라져서 너무 아쉬웠지만,

사진과 그때 그 사람들과 추억하게 되었다.

감정조절

감정 조절하는 일이 나에게 있어서는 매우 중요한 일이다.

조절에 실패하면 너무 힘들기 때문이다.

약물로 잡아주고 나머지는 내가 해야 할 일이다.

너무 들뜨지도 가라앉지도 중간을 유지해야 한다.

좋은 생각과 좋은 행동 즐거운 하루를 만들기 위해 노력하고 있다.

약물도 잘 챙겨 먹고 수면과 운동도 적절하게 노력하고 있다.

지나간 인연

사회에서 만난 인연 중에 유독 친했던 사람이 있다.

나는 친언니가 없는데 친언니가 생긴 것처럼 나를 잘 챙겨주고

함께할 때 너무 즐거웠다.

그런데 서로 오해로 인해 멀어지고 말았다.

다신 함께할 수 없을 지경까지 왔다. 마음이 아프다.

보고 싶을 때가 많다.

사이가 좋았을 때 생각이 많이 나는 밤이다.

폭염경보

오늘은 폭염경보 알람이 왔던 날이다.

장마 기간에 비가 안 내리고 습하고 덥기만 한 날씨다.

밖을 나올 때부터 숨이 턱 막히고 강력한 햇빛이 팔과 얼굴을 타 버리게 할 것만 같았다.

그래도 산 쪽으로 걸어 보니 산에서 불어오는 바람은 에어컨처럼 시원했다.

폭염경보여도 사람들이 많았고, 갑자기 소나기가 내렸다.

예전에 홍콩 여행을 갔을 때 습하고 더웠는데

소나기가 내려서 더 불쾌했던 경험이 있었는데

오늘 그때 생각이 나는 날씨였다.

집안일

집안일은 끝이 없고 무한 반복이다.

내가 살아있는 한 계속해야 하는 일이다.

그래도 나는 요리를 하지 않아서 청소와 빨래만 하면 된다.

깔끔한 성격 탓에, 머리카락이나 먼지를 키우지 않는다.

날마다 무한 반복이지만 즐겨보려고 생각하고 있다.

옛날 노래가 좋다

나는 요즘 노래는 잘 모른다.

들어도 가사가 귀에 들리지 않는 것 같고,

가사를 공감하기 어렵다. 옛날 노래는 가사가 시처럼 좋다.

내가 이제는 옛날 사람이라는 뜻인가 싶기도 하다.

그리고 옛날 노래는 들으면 노래가 유행했을 때의 생각이 많이

떠오르고 그때로 돌아간 느낌을 받는다.

특히 학생 때 유행했던 노래는 잊어버릴 수 없는 것 같다.

시간이 흘러갈수록

시간이 흘러갈수록 내 생각과 가치관이 점점 바뀐다.

좋은 방향으로 바뀌어서 다행인 것 같다.

몇 년 전만 생각해도 내가 날 이해할 수가 없을 정도로 이상했다.

예전에는 전혀 기대하지 못했던 방향으로 생각이나 가치관이 바뀌고 있다.

나이가 한 해 먹으면서 주는 장점인 것 같다.

담배

날 위로해준다고 생각했다

24시간 언제 어디서든 생각날 때,

필요할 때,

내 옆에 있어서

지금은 떠나갔다. 안녕

나의 전공

내 전공은 간호학이다.

간호사 면허증도 취득하였다.

학생 간호사 시절에 나는 열정적이었다.

1,000시간의 실습을 좋은 점수를 받고 누구보다 열심히 했다. 졸업하고 나서 좋은 간호사가 될 거라고 믿었다.

그때는 인지하지 못했지만, 마음의 아픔으로 꿈을 이뤄보지 못했다.

좋아질 일만 남았다

지금의 힘겨운 경제적 상황과 나의 마음 상태

내가 너무 힘들 때는 영영 좋아지지 못하면 어떡하지? 라는 생각

에 슬퍼질 때도 많지만,

지나온 날들을 보면 난 더 힘든 날들도 살아남았고,

살아가고 있었다.

여기서 더 나빠질 수 없고 좋아질 일만 남은 것 같다.

당신의 모든 순간이

별처럼 빛나길

에어컨

틀면 춥고

끄면 덥고

습하다.

내 마음처럼

중간이 없다.

아무것도 하기 싫은 날

밥도 먹기 싫고

일어나는 것부터 하기 싫은 날

모든 것이 귀찮아 느껴지지만

일어나서 씻는다

그럼 자동으로 나가게 된다.

밤낮이 바뀌면

밤낮이 바뀌면 너무 괴롭다.

다시 바꾸기 위해서 노력해야 하고

바뀌는 것에 실패하면 너무 힘들다.

남들 잘 때 일어나고

남들 일어날 때 잠자고

그만 반복하고 싶다.

가성비

언제부터인가 모든 면에서 가성비를 찾게 되었다.

가성비를 위해 열심히 검색한다.

후회하지 않기 위해서

상품 상세페이지도 읽어본다.

내가 이렇게 열정적이었나 생각해 본다.

과거

가끔 과거로 돌아가고 싶을 때도 있다.

지금의 상황이 힘들어서 그런 것 같다

과거에 행복했냐고 물어본다면

꼭 그렇지만도 않다

지금 행복하냐고 물으면

지금도 행복한 편은 아니다.

지금은 과거보다 마음은 편하고

날 쪼아대는 사람이 없고

타인의 기대에 맞춰서 살아가지 않아도 된다.

지금의 마음이 그렇다고 다 편하지는 않다

이게 삶인가 보다

미래의 내가 이뤘으면 하는 것

미래의 내가 이뤘으면 하는 것이 있다.

지금처럼 혼자 있지 않고

누군가 같이 있었으면

그리고 내 가족이 생겼으면

내 이름 세 글자 말고

다른 이름의 역할이 생겼으면

고마운 사람들

이 책을 쓰게 만들어준 사람들이 있다.

고마운 분들이다

그분들이 아니었다면 책을 쓸 수 없었을 것이다.

매일 밤 메타버스 게임에서 만나서

도와주고, 노래 부르고, 격려하고, 응원하고

좋은 만남 속에서 좋은 변화가 가득했다.

고맙고, 감사하다.

엉킨 머리카락

머리를 감고 나오면

머리카락이 엉킨다.

빗으로 하나씩 천천히 푼다.

내 마음도 엉킨 머리카락처럼

천천히 하나씩 풀어나가야,

되려나 보다.

바쁜 하루

아침부터 일찍 일어나서

약속된 일들을 하느라 너무 바쁘게 움직였다

보람찬 하루 같고

오늘 내가 약속했던 일을 다 처리해서

기분이 좋다.

오늘은 일찍 잠들 것 같다.

다 포기하고 싶은 날

모든 것을 포기하고 싶어지는 날이다.

악착같이 버텨왔던 내 삶도

끝내고 싶을 정도로 힘든 날이다.

왜 내가 버텨왔는지

무엇을 위해 살아왔는지

모든 것이 의미가 없다.

같은 동네

같은 동네에 살아서 싸우면

마음이 더 아프다.

같이 밥 먹었던 식당

자주 다니던 카페

자주 걷던 길

내가 한심스럽다.

참을걸

화내지 말걸

시간을 돌리고 싶다.

나만 또 상처를

다퉜다

결국 나만 상처 입었다

왜 막장까지 가게 할까?

왜 나만 좋아지려고 노력할까?

수평적 관계가 아닌

나만 매달리는 관계

괴롭다.

감기

여름감기에 걸렸다.

에어컨을 안 켜면 너무 덥고

에어컨을 켜면 기침한다.

맘처럼 잘 안된다.

빨리 지나가기를 바랄 뿐이다

어렵다

뭐가 그렇게 어려운 관계일까?

나만 진심이었을까?

싸울 때 싸우더라도 서로 끝까지 가버린 것 같다.

밥도 잘 안 먹게 되고,

죽을 만큼 힘들다.

나에게만

나에게만 엄격할까?

나만 미워할까?

나만 싫어할까?

화를 내면서 소리 지르면서 전화 끊으라고 말하는 소리가

너무 폭력적이다.

마음의 상처가 됐다.

왜 이렇게 될 줄 알면서 말을 한 걸까?

정말 밉다.

미워도 화해하고 싶다.

정말 왜 그랬나 싶을 정도로 밉지만

안 만나니 보고 싶다

내 마음이 너무 불편하다.

화해하고 싶다.

마음 치료 중

요즘 마음이 많이 안 좋다.

병원에 입원하고 싶었지만

입원으로 인해 좋은 방향만 있는 것이 아니기에

혼자서 마음 치료 중이다.

밥도 더 잘 먹고

잠도 더 잘 자고,

좋은 생각만 하려고 노력한다.

즐거운 일을 만들고,

지금 내 주변에 있는 사람들에게 감사하다.

빨리 좋아지면 좋겠다.

힘들 때 노래를 부르면

힘들 때 노래를 부르면 감정이입이 더 잘된다.

한 맺힌 듯 노래를 부르는 것 같지만,

슬퍼서 우는 것 보다

슬픈 노래를 부르고 나면

속이 시원해진다.

눈물

마음이 힘들어서 눈물이 난다.

지금 이렇게 살아가는 것이 맞는 것 인지

나는 왜 혼자 스스로 버티지 못하나 한심해서 눈물이 난다.

왜 살아가고 있을까 스스로 너무 힘들고

사랑받고 싶은데 사랑받지 못해서 힘들다.

보고 싶다

아직도 그때를 생각하면 너무 밉고 싫지만

보고 싶다.

다시 만날 수 있을까?

다시 만나면 전처럼 돌아갈 수 있을까?

나는 감정을 잘 조절하고 만날 수 있을까?

안보니까 보고 싶다.

나만 못하는 것

집에 갈 수 없다.

나를 싫어하는 사람 때문에

그 싫어하는 사람 앞에서 내 전화를 안 받는다.

그 싫어하는 사람 때문에

나를 비밀스럽게 만난다.

이제는 그 싫어하는 사람한테

내 얘기를 해버려서 비밀스럽게 만나지도 못한다.

이제는 다 끝난 것 같다.

너무 슬프다.

사랑받고 싶은 사람

사랑받고 싶은 사람이 바로 나 자신이다.

가장 사랑받을 사람에게

무시당하고 미움받고 있다.

그래서 자존감도 낮고

마음이 두 다리가 부러진 사람에게

달리라고 시키는 것 같다.

눈에 보이지 않아서 힘든 일

마음이 아픈 것은 눈에 보이지 않아서 때로는 힘들다

내가 어디가 어떻게 아픈지도 설명하기 힘들고

뚜렷한 증상을 말하기도 어렵다.

눈에 보이지 않아서

남들이 이해하기 힘들겠지만

나는 그 힘듦을 이겨 내보려고 하는 중이다.

누군가에게 보내는 편지

서로 상처도 많이 주고 미워도 했고 싫어도 했는데

서로 많이 사랑해서 그랬지 싶네요.

지금 잠시 멀어졌지만

언젠가 다시 웃으면서 아무 일 없듯이 만났으면 좋겠어요.

서로 받은 상처는 잊어버리고

다시 만날 때 행복하게 만났으면 좋겠습니다.

많이 사랑하고 부족해서 죄송합니다.

작가소개

라비앙로즈는 간호학과를 졸업한 후,
양극성 장애를 경험하며 독특한 시각과 깊이 있는 감성을 담아내는 작가입니다.

라비앙로즈는 의료 분야에서의 전문 지식과 양극성 장애로 인한 개인적 경험을 바탕으로, 인간의 복잡한 감정과 삶의 이면을 진지하게 탐구하는 작품을 선보이고 있습니다.

간호학을 전공하며 쌓은 경험과 지식을 통해,
라비앙로즈는 인간의 심리에 대한 깊은 이해를 바탕으로 독창적인 글쓰기를 해왔습니다.

특히, 양극성 장애를 직접 경험한 작가로서, 감정의 극단과 그로 인한 내적 갈등을 생생하게 묘사하는 능력을 가지고 있습니다.

라비앙로즈의 작품은 종종 개인의 심리적 여정과 사회적 편견을 조명하며, 독자들에게 감정적 공감과 인식의 전환을 제공합니다.

라비앙로즈는 자신의 경험을 솔직하고도 섬세하게 담아내어,
정신 건강과 인간의 본성에 대한 깊이 있는 논의를 촉진하고 있습니다.

현재 광주광역시에서 작품 활동을 계속하며,
라비앙로즈는 앞으로도 문학을 통해 개인의 내면과 사회의 문제를 탐구하며, 독자들에게 새로운 시각과 감동을 선사할 계획입니다.